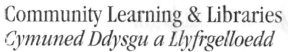
Cyhoeddwyd yn 2015 gan Ganolfan Peniarth.

Mae Prifysgol Cymru Y Drindod Dewi Sant yn datgan ei hawl moesol dan Ddeddf
Hawlfraint, Dyluniadau a Phatentau 1988 i gael ei hadnabod fel awdur a dylunydd y
gwaith yn ôl eu trefn.

Helo! Fy enw i yw Joseff.

Dyma Mam a Dad a dyma fy mrodyr
– un deg un ohonyn nhw!

Un dydd ces got liwgar hardd gan Dad. Un hir gyda llewys llydan. "Cot arbennig i fab arbennig," meddai.

Roedd Dad yn fy ngharu i'n fawr.

Rwy'n agos iawn at fy mrawd bach Benjamin hefyd.
Fe yw fy hoff frawd. Mae'n annwyl iawn i mi.

Yn ystod y nos, rwy'n cael breuddwydion rhyfedd lle mae pethau yn plygu eu pen i fi! Mae hyn yn gwneud i mi deimlo'n bwysig dros ben.

6

Roedd rhaid i mi ddweud wrth fy nheulu am y breuddwydion.

Roedd y breuddwydion yn gwneud i mi deimlo'n fwy arbennig na phawb arall. Dywedais wrth fy mrodyr mai fi oedd y gorau a bod pawb arall yn plygu wrth fy nhraed. Roeddwn yn ymffrostio ychydig!

Roedd fy mrodyr yn fy ngalw i'n freuddwydiwr, ac yn eu cenfigen, penderfynon nhw fy nhaflu i bydew dwfn, sych ...

Roedd yn ddwfn iawn. Roedd yn dywyll ac yn oer.
Roeddwn yn teimlo'n ofnus ac yn unig iawn.

A wyddoch chi beth wnaeth fy mrodyr
nesaf? Trochi fy nghot arbennig mewn
gwaed gafr!

Ych! Ych! Ych a fi!

Twyllon nhw fy nhad i feddwl bod bleiddiaid
wedi fy lladd allan ar y bryniau.

Wylodd ac wylodd Dad am ddyddiau.

Cyn hir, ces i fy nhynnu o'r pydew gan fy mrodyr. Dyna sioc. Yna'n sydyn, ces i fy ngwerthu ganddyn nhw am ugain darn arian i ddyn oedd yn teithio i'r farchnad!

Teithiais ymhell bell i ffwrdd i'r Aifft, lle roedd yn rhaid i mi weithio fel caethwas.

Roedd y gwaith yn galed ond gwnes i'n siwr 'mod i'n berson gonest a gweithgar.

Un dydd, dywedodd rhywun gelwydd ofnadwy amdanaf a ches i fy ngharcharu ar gam. Unwaith eto teimlais yn unig ac yn ofnus.

Un dydd, yn y carchar gofynnodd dau garcharor i mi eu helpu
i ddeall eu breuddwydion. Roedd hyn yn hawdd i mi a daeth eu
breuddwydion yn wir!

Ddwy flynedd yn ddiweddarach, cafodd Pharo, Brenin yr Aifft ddwy freuddwyd ryfedd. Esboniodd un o'r dynion, oedd wedi bod yn y carchar gyda mi, wrth Pharo, 'mod i'n gallu deall breuddwydion. Galwodd Pharo amdanaf yn syth o'r carchar i'w helpu.

Esboniais wrtho bod y breuddwydion yn arwydd y
byddai saith mlynedd lle byddai digon o fwyd ar gael.

"Rhaid GOFALU am y bwyd yn y 'sguboriau," dywedais.
Wedyn esboniais,

"I ddilyn, bydd saith mlynedd o newyn. A'r adeg hynny
bydd rhaid RHANNU'R hyn sydd yn y 'sguboriau."
Gofalu a rhannu.

Roedd Pharo yn hapus iawn gyda mi a rhoddodd swydd bwysig i mi.

Des i'n rheolwr dros dir yr Aifft i gyd!

Cyn hir, daeth saith mlynedd o gnydau bwyd arbennig! WAW! Roedd y 'sguboriau'n llawn!

Ond wedyn daeth ... haul tanbaid ... dim glaw.
Doedd dim cnydau. Dim bwyd.

"AGORWCH Y 'SGUBORIAU!"

Ddwy flynedd yn ddiweddarach, fedrwch chi ddyfalu pwy ddaeth i chwilio am fwyd?

Plygon nhw eu pennau'n isel yn union fel yn y freuddwyd sawl blwyddyn yn ôl. Roedd Duw nawr yn gwireddu'r hyn welais i!

Ie, fy mrodyr i oedd yno, deg ohonyn nhw. Roeddwn i yn eu hadnabod nhw, ond doedden nhw ddim wedi fy adnabod i!

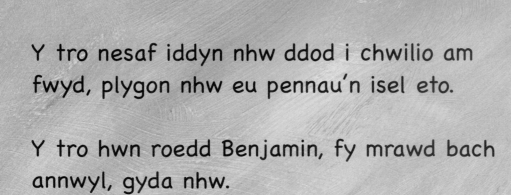

Y tro nesaf iddyn nhw ddod i chwilio am
fwyd, plygon nhw eu pennau'n isel eto.

Y tro hwn roedd Benjamin, fy mrawd bach
annwyl, gyda nhw.

Rhannais i'r bwyd yn llawen.

Roedd rhaid i mi ddweud y gwir
wrth fy mrodyr mai fi, Joseff, oedd
yno. Roedden nhw'n fud, yn syfrdan
ac yn ofnus.

Buon ni'n crio, yn cusanu ac yn
cofleidio ein gilydd.

Maddeuais iddyn nhw am bopeth
ddigwyddodd flynyddoedd yn ôl.

Gwahoddais fy nhad, fy mrodyr a'u teuluoedd i ddod i'r Aifft.

O hyn ymlaen, byddem yn gofalu am ein gilydd ac yn rhannu gweddill ein bywyd gyda'n gilydd fel un teulu hapus a chytûn.

27

Canolfan
Peniarth

Canolfan gyhoeddi Prifysgol Cymru: Y Drindod Dewi Sant
Publishing house of University of Wales: Trinity Saint David

Pecyn addysg Tric a Chlic.
Cynllun ffoneg synthetig, systematig a dilyniadol i'r Cyfnod Sylfaen.

Tric a Chlic education pack.
Welsh language program for synthetic phonics, systematic and progressive to the Foundation Phase.

Rho gynnig arni!
Cardiau Her y Cyfnod Sylfaen - Darpariaeth Barhaus

Have a go!
Foundation Phase Challenge Cards - Continuous Provision

Cam Cyntaf
Cerddoriaeth yn y Cyfnod Sylfaen

Adnodd gwreiddiol i gefnogi cerddoriaeth, fel rhan o'r Maes Dysgu 'Datblygiad Creadigol' yn y Cyfnod Sylfaen.

First Steps
Music in the Foundation Phase

An original resource to support music, as part of the 'Creative Development' Area of Learning in the Foundation Phase.

www.canolfanpeniarth.org

Z797060